LIRICHE ITALIANE SCI
ESSENTIAL ITALIAN ART

T0085212

15 liriche del XIX e XX secolo con lezioni di dizione e accompagnamenti

5 Songs from the 19th and 20th Centuries with Recorded Diction Lessons and Recorded Accompaniments

A cura di | *Edited by* Ilaria Narici

RICORDI

DOWNLOAD

Per accedere al download,
digitare il seguente codice alla pagina:
www.halleonard.com/mylibrary

8823-6998-6219-2464

Basi musicali eseguite da • *Accompaniments perfomed by* Maurizio Carnelli
Testi recitati da • *Native speaker diction lessons by* Sonia Grandis

Copyright © 2020 Casa Ricordi
via B. Crespi, 19 – 20159 Milano – Italy
Tutti i diritti riservati – All rights reserved

NR 142026
ISMN 979-0-041-42026-4

Sommario • Contents

Liriche • Art Songs

GLI AUTORI • THE COMPOSERS

Vincenzo Bellini (Catania 1801 – Puteaux, Parigi, 1835) Grandissimo operista italiano, autore di melodrammi celeberrimi quali *Norma, La sonnambula, I Puritani*, scrisse trentacinque melodie per canto e pianoforte, che coprono tutto l'arco della sua breve vita. Come avviene nel caso degli altri eccelsi operisti dell'Ottocento, da Rossini a Donizetti a Verdi, le sue composizioni da camera non differiscono molto dalle arie d'opera per il rilievo dato alla linea vocale, semplice, purissima e 'nuda', mentre armonia e costruzione formale sono improntate all'essenzialità. L'accompagnamento pianistico ha sovente la scrittura del quartetto d'archi (molto evidente in "Ma rendi pur contento" e "Vaga luna"), anche se in taluni casi ("L'abbandono") si può ben cogliere l'influenza della scrittura pianistica di Chopin, amico di Bellini e anch'egli parigino d'adozione. Il clima soave, notturno, delle liriche belliniane è esaltato dalla scelta dei testi, in genere attinti da autori appartenenti all'aulico ed algido periodo neoclassico.

Luigi Denza (Castellammare di Stabia, 1846 – Londra, 1922) Allievo di Saverio Mercadante, è ricordato soprattutto per aver composto oltre 500 canzoni napoletane. "Se", "Occhi di fata", "Torna", "Non t'amo più!", ma soprattutto "Funiculì funiculà", probabilmente la canzone napoletana più nota ed eseguita al mondo, scritta nel 1880 per celebrare la prima funicolare costruita sul Vesuvio (1879). Innumerevoli le interpretazioni di questa canzone da parte di grandi tenori, da Mario Lanza a Luciano Pavarotti, inserita da Richard Strauss e Alfredo Casella in poemi sinfonici (rispettivamente *Dall'Italia* e *Italia*), strumentata da Rimskij-Korsakov e persino da Arnold Schönberg, e citata in numerosi film tra i quali *I due colonnelli*, con Totò, *Shine, No grazie il caffè mi rende nervoso*.

Stefano Donaudy (Palermo, 1879 – Napoli, 1925) Nelle sue liriche da camera elaborò uno stile eclettico che riuscì a fondere gli ingredienti tipici della musica da salotto (sentimentalismo, primato della melodia, immediatezza) con una vocalità spesso di stampo verista e con il desiderio di un ritorno all'antico attraverso la ripresa di stilemi e suggestioni della musica barocca. Questa intenzione è già evidenziata dal titolo delle sue raccolte più importanti, a cui appartengono i famosissimi brani presenti in questa raccolta, *36 Arie in stile antico*. Ampio utilizzo di ritardandi, tempi rubati, scrittura pianistica che allude a sonorità orchestrali sono i tratti più caratteristici dei tre brani prescelti, amatissimi sia dai grandi cantanti che dagli studenti che vi possono ritrovare lo stile dell'opera romantica italiana in miniature più facili da affrontare.

Vincenzo Bellini (Catania 1801 – Puteaux, Paris, 1835) A world-renowned Italian opera composer, he wrote many a famous opera, such as *Norma, La sonnambula* and *I Puritani*, as well as thirty songs for voice and piano throughout his short life. As happened with other illustrious opera composers in the nineteenth century, from Rossini to Donizetti and Verdi, his chamber compositions cannot be said to differ much from his opera arias, as the vocal line is emphatically simple, pure and 'unadorned', while the harmony and formal construction of the songs can be said to be 'essential'. The piano accompaniment is often reminiscent of a string quartet (very evident in "Ma rendi pur contento" and "Vaga luna"), although in some cases ("L'abbandono") one can easily see the influence of Chopin's piano works. (The two composers were close friends, both being Parisian by adoption). The mild nocturnal atmosphere of Bellini's songs is enhanced by his choice of lyrics, usually drawn from authors belonging to the courtly, conservative neoclassical period.

Luigi Denza (Castellammare di Stabia, 1846 – London, 1922) One of Saverio Mercadante's pupils, Denza is best remembered for having composed over 500 Neapolitan songs: "Se", "Occhi di fata", "Torna", "Non t'amo più!", and especially "Funiculì funiculà" – probably the most famous and most often performed Neapolitan song in the world, written in 1880 to celebrate the first funicular railway built on Mount Vesuvius (1879). Countless great tenors has sung this song, from Mario Lanza to Luciano Pavarotti. It was used by Richard Strauss and Alfredo Casella in their symphonic poems (*Dall'Italia* and *Italia* respectively), has been orchestrated by Rimsky-Korsakov and even Arnold Schönberg, and used in numerous films, including the Totò's *I due colonnelli, Shine* and *No grazie il caffè mi rende nervoso*.

Stefano Donaudy (Palermo, 1879 – Naples, 1925) Donaudy's eclectic style can be seen in his art songs. He managed to blend the typical ingredients of salon music (sentimentality, immediacy and, especially, melody) with a vocal style greatly influenced by the Verismo movement, as well as a wish to return to the past by reviving the styles and ideas of Baroque music. This can be seen in the title of his most important collection of songs (including the famous songs in this collection): *36 Arie in stile antico*. Extensive use of *ritardando, tempo rubato* and piano parts with orchestral sonority are the most characteristic features of the three songs chosen for this collection. The three songs included in this collection are beloved by great singers and students alike, miniature examples of the Italian romantic opera style.

Gaetano Donizetti (Bergamo 1797-1848) La produzione cameristica di Donizetti affiancò per tutto l'arco della sua vita l'ingente produzione teatrale (ben settantadue titoli), che lo denota come uno dei più prolifici autori italiani. Le sue liriche da camera, per una, due, tre o quattro voci con accompagnamento di pianoforte, notevolissime per quantità e qualità, sono in genere poco conosciute e a volte inedite. Alcune di esse sono semplici componimenti d'occasione, altre sono caratterizzate dallo stile intimista inaugurato da Bellini, altre ancora sono concepite come arie d'opera, con recitativo, cavatina e cabaletta. L'enorme successo di Donizetti operista ha oscurato la diffusione di questo imponente *corpus* musicale, che contiene gemme di indiscutibile valore. "Amore e morte" ed "Eterno amore e fè" sono una mirabile sintesi tra romanza da salotto e aria d'opera mentre "Una lacrima", una delle più conosciute romanze da camera, presenta una linea melodica dalla condotta decisamente operistica, non fosse che per la grande estensione di registro che presenta. Il carattere è drammatico, e la struggente melodia è sostenuta da una scrittura d'accompagnamento non propriamente pianistica ma piuttosto orchestrale, con continui cambi di scena che rimandano a una concezione teatrale più che all'intimità camerista.

Stanislao Gastaldon (Torino, 1861 – Firenze, 1939) La fortuna di Gastaldon è legata al grande successo di "Musica proibita", scritta all'età di soli vent'anni. La lirica è stata interpretata da tutti i grandi tenori ed è tutt'oggi assai popolare ed eseguita. Il prosieguo della sua vita di compositore non fu altrettanto fortunato: quattro anni dopo partecipò ad un concorso operistico indetto dall'editore Sonzogno in cui utilizzò per il suo melodramma, *Mala Pasqua,* lo stesso argomento tratto da una novella di Verga che Pietro Mascagni aveva scelto per *Cavalleria rusticana.* Non si qualificò ma continuò a scrivere opere e circa trecento romanze per canto e piano, nelle quali tuttavia non riuscì a ritrovare la fresca immediatezza e l'accattivante melodia di "Musica proibita".

Ruggero Leoncavallo (Napoli, 1857 – Montecatini Terme, 1919) Legato alla fortuna della sua prima opera, *Pagliacci,* assurta a vero e proprio manifesto del Verismo musicale italiano, e a una *Bohème* destinata ad essere un titolo sempre presente nel repertorio dei teatri sebbene oscurata dall'omonimo titolo di Puccini, scrisse parecchie liriche da camera di pregevolissima fattura. In esse seppe infondere e far coesistere tipici abbandoni del salotto *fin-de-siècle* con i tratti più emblematici del canto verista: melodie spiegate, vocalità spinta, forme musicali che portano ad un incremento di tensione che sfocia nell'acuto. "Mattinata" è la più celebre romanza da camera di Leoncavallo. Il testo è dello stesso autore che aveva una formazione classica di prim'ordine (fu allievo di Giosuè Carducci all'Università di Bologna). Scritta nel 1904 e registrata da Enrico Caruso con Leoncavallo al pianoforte nello stesso anno, è stata, come tutte le famose romanze da camera italiane, cavallo di battaglia dei più grandi tenori del secolo e, al tempo stesso, assai utilizzata negli ambiti più diversi, da quello cinematografico a quello della musica leggera.

Gaetano Donizetti (Bergamo, 1797-1848) Donizetti wrote chamber music throughout his life, alongside his huge output for the theatre (no fewer than seventy-two operas), making him one of the most prolific Italian composers. Although he wrote many excellent art songs (for one, two, three or four voices with piano accompaniment), these are generally little known. Some are simple pieces composed for special occasions, some are intimate in the style of Bellini, while others were conceived as opera arias, with recitative, cavatina and cabaletta sections. Donizetti's huge success as an opera composer has overshadowed this impressive body of songs with its many unquestionable gems. The songs "Amore e morte" and "Eterno amore e fè" are a wonderful blend of the salon art song and operatic aria, while "Una lacrima", one of his most famous art songs, has a melody line that is decidedly operatic, if only for the great extension required. A dramatic song with a haunting melody, its accompaniment is more orchestral than piano. The constant changes of scene are more typical of the theatre than the intimacy of a salon.

Stanislaus Gastaldon (Turin, 1861 – Florence, 1939) Gastaldon's greatest success was his "Musica proibita", which he wrote when just twenty years old. This song has been sung by all the great tenors and is still very popular today. He was less fortunate in the years following this. He took part in a new opera competition organised by the publishers Sonzogno, entering his opera, *Mala Pasqua!,* based on the very same novel by Verga that Pietro Mascagni used for his *Cavalleria rusticana.* He did not win the competition. Gastaldon continued to write operas and about three hundred songs for voice and piano, but he never managed to reproduce the fresh immediacy and the catchy melody of "Musica proibita".

Ruggero Leoncavallo (Naples, 1857 – Montecatini Terme, 1919) His first opera, *I Pagliacci,* was hailed as the prime example of Italian Verismo in music. His *La Bohème* was easily overshadowed by Puccini's opera of the same name. Leoncavallo wrote several art songs of exquisite workmanship. He knew how to infuse them with the typical *fin-de-siècle* atmosphere and the most emblematic features of the Verismo singing: extended melodies, extreme vocal style and musical forms that generate acute tension. *Mattinata* is Leoncavallo's most famous chamber romanza, whose lyrics he had himself written. (He received a first-rate classics education, studying under Carducci at the University of Bologna.) Written in 1904 and recorded by Enrico Caruso that same year with Leoncavallo accompanying him on the piano, like all famous Italian art songs, "Mattinata" was regularly performed by the greatest tenors over the course of the 1900s and often used in different fields, from film to light music.

Pietro Mascagni (Livorno, 1863 – Roma, 1945) Icona, insieme a Leoncavallo, dell'opera verista, come lui non riuscì a superare il successo della sua prima opera, *Cavalleria rusticana*, tuttora uno dei titoli più rappresentati al mondo. Continuò però a comporre opere e musica da camera di grande espressività. Sempre seguendo il motto ben espresso dal suo collega nel famoso Prologo di *Pagliacci*, "L'autore ha cercato di pingervi uno squarcio di vita… ed al vero ispiravasi", Mascagni concepì le romanze da camera come piccole arie d'opera piuttosto che come arie da salotto. In particolare "Serenata", su testo dello 'scapigliato' Lorenzo Stecchetti – *alias* Olindo Guerrini –, è pezzo molto amato che ha avuto intense interpretazioni da parte dei più grandi tenori dell'epoca: Giacomo Lauri Volpi, Giuseppe Di Stefano, Enrico Caruso.

Gioachino Rossini (Pesaro,1792 – Passy, 1868) Fu il più celebre compositore della prima metà dell'Ottocento. La sua fama si è mantenuta nei secoli soprattutto per le sue opere comiche, sopra tutte *Il barbiere di Siviglia*. Dagli anni Settanta del Novecento, grazie al lavoro della Fondazione Rossini di Pesaro, in collaborazione con Casa Ricordi, e del Rossini Opera Festival, è stato oggetto di una vera e propria riscoperta (la cosiddetta *Rossini renaissance*) che ha portato alla luce tutto il suo catalogo, specie le opere serie, scritte nei primi trentasette anni di vita. Dopo *Guillaume Tell* (1829) smise di scrivere per il teatro dedicandosi alla composizione di musica da camera, raccolta negli ultimi anni di vita sotto il nome di *Péchés de vieillesse*. All'interno dei *Péchés* si trovano oltre cento melodie per canto e pianoforte, che coprono un arco temporale assai vasto. Un insieme così ampio di musiche non può che presentare caratteri diversi: difficile trovare un criterio o una cifra stilistica – se non quella del genio – che possano ben descrivere questo *corpus* assai significativo. Tre delle quattro composizioni presenti in questa raccolta appartengono al ciclo di dodici brani raccolti sotto il titolo di *Soirées musicales*, scritti tra il 1825 e il 1830 su testi di Carlo Pepoli e di Metastasio. "La promessa", su testo di quest'ultimo, è una piccola aria d'opera di carattere spiritoso. Eco del Tirolo, uno dei luoghi favoriti della geografia musicale dell'epoca, e delle sue danze ne "La tirolese: La pastorella delle Alpi" in cui compaiono vocalizzi molto simili agli jodel e ai tipici ritmi tirolesi. "La danza", il brano più celebre, su testo di Pepoli, è una tarantella che rivela una sorta di furore tragico dell'io narrante che, di notte sotto la luna, è indotto a ballare, con la musica che senza tregua lo incalza. "Bolero", presentato nella presente raccolta in prima edizione moderna dopo la pubblicazione nella rivista "La lettura" nel 1932 raccolta nel Fondo Piancastelli di Forlì, è invece una delle numerose intonazioni del testo "Mi lagnerò tacendo" tratto dal *Siroe* (atto II, scena I) di Metastasio, testo assai caro a Rossini che fin dagli anni Venti utilizzò, in una forma lievemente variata, come base di sperimentazione grazie anche al carattere generico ed ambiguo del testo.

Francesco Paolo Tosti (Ortona, 1858 – Roma, 1937) è a giusta ragione considerato il maggior compositore italiano di romanze da camera. Giacomo Puccini scrisse che avrebbe voluto scrivere melodie belle come quelle di Tosti, che oltre

Pietro Mascagni (Livorno, 1863 – Rome, 1945) Like Leoncavallo, Mascagni was a prime exponent of Verismo opera. Best known for his very first opera, *Cavalleria rusticana*, one of the world's most frequently performed operas, Mascagni composed other operas and chamber music of great expressiveness, but these never achieved the same success. He always followed the motto written by his colleague Leoncavallo in the famous prologue to *I Pagliacci*, "The author has tried to paint a glimpse of real life ... and be inspired by truth." Mascagni saw chamber romanzas as mini operatic arias rather than salon songs. His "Serenata", with lyrics by the 'bohemian' Lorenzo Stecchetti (Olindo Guerrini), is a much loved piece performed with gusto by the greatest tenors of the time: Giacomo Lauri Volpi, Giuseppe Di Stefano and Enrico Caruso.

Gioachino Rossini (Pesaro, 1792 – Passy, Paris, 1868) Rossini was Europe's most famous composer in the early nineteenth century and has continued to be well-known over the centuries, mostly on account of his comic operas (first and foremost, *The Barber of Seville*). Thanks to the efforts of the Rossini Foundation in Pesaro, in collaboration with Casa Ricordi and the Rossini Opera Festival, there has been resurgence of interest in Rossini since the 1970s (the 'Rossini Renaissance'). As a result, interest has been shown in all his catalogue, especially his serious operas written in his early years, until he turned thirty-seven. In fact, after *Guillaume Tell* (1829), Rossini stopped writing for the theatre and devoted himself to writing chamber music. These compositions were published towards the end of his life in the collection called *Péchés de vieillesse*: over one hundred melodies for voice and piano, written over a very long time. Needless to say, the character of the works in such a large collection differ quite considerably. It is hard to pinpoint just one criterion or a signature style – apart from genius – that is capable of adequately describing this large body of music. Three of the four compositions in this collection belong to the cycle of twelve compositions called *Soirées musicales*, written between 1825 and 1830 to lyrics by Carlo Pepoli and Metastasio. "La promessa" (lyrics by Metastasio) is a small, witty opera aria and reminds one of the Tyrol (a popular geographical source of inspiration at the time) and its dances. Indeed, his "La tirolese: La pastorella delle Alpi" has vocalization reminiscent of yodelling and typical Tyrolean rhythms. "La danza", Rossini's most famous song, to lyrics by Pepoli, is a tarantella where the narrator exhibits a kind of tragic fury as he is forced to keep dancing in the moonlight, the music relentlessly hounding him. His "Bolero" – this collection is the first modern edition after publication in the "La Lettura" magazine (1932 – Fondo Piancastelli di Forlì) – is one of the many versions of the lyrics "Mi lagnerò tacendo" from Metastasio's *Siroe* (Act II, Scene I). Rossini was particularly enamoured of this work thanks to the generic, ambiguous character of the words and used it for various experimental works from the 1820s onwards, each time in a slightly different form.

Francesco Paolo Tosti (Ortona, 1858 – Rome, 1937) Rightly considered Italy's greatest composer of art songs, Giacomo Puccini once wrote that he wished he could write melodies as beautiful as Tosti's. In addition to being a composer, Tosti was

a essere compositore era ai suoi tempi il più apprezzato e ricercato maestro di canto. Abruzzese, come uno dei suoi poeti prediletti, Gabriele D'Annunzio, Tosti seppe dare alla romanza da salotto un alto livello artistico: la sua maestria nell'utilizzo della voce è assoluta, una cantabilità senza uguali negli autori a lui contemporanei. Seppe dar voce a un ambiente, a un'epoca, quella dell'Italia di fine secolo, ancora non martoriata dalla prima guerra mondiale e dalle tensioni sociali che aprirono il Novecento. Il suo linguaggio semplice ma appassionato seppe infondere nobiltà artistica ai sentimenti semplici: la gioia per l'amore che nasce ("Malìa"), la tristezza per l'amore che finisce ("L'ultima canzone"), l'estasi dell'abbandono ("Ideale").

Giuseppe Verdi (Busseto, 1913 – Milano, 1901) Sommo operista, ci ha lasciato un importante *corpus* di composizioni per voce e pianoforte di notevole interesse, quasi tutte collocabili nel periodo giovanile. Lo stile di queste romanze è prettamente melodrammatico: esse sono concepite come vere e proprie arie d'opera, talune nella forma di aria doppia, con recitativo, cavatina e cabaletta, altre in forma di semplice canzone. È il caso dello stornello "Tu dici che non m'ami", basato su una forma di poesia di matrice popolare, caratterizzata tradizionalmente da vivaci metafore amorose o soggetti satirici e pubblicato nel 1869 su testo anonimo. "Ad una stella" è romanza di maggiori ambizioni vocali, scritta per una voce di lirico pieno. La musica inizia in tono soave, ad esaltare l'atmosfera notturna creata dal testo di Andrea Maffei, e pian piano si ravviva raggiungendo un climax espressivo e dinamico nella parte centrale. Molto interessante timbricamente l'accompagnamento pianistico. "In solitaria stanza", scritta nel 1838 su testo di Jacopo Vittorelli, è pezzo assai espressivo e molto amato dai soprani; nella parte centrale, contiene un motivo che Verdi riprenderà nel *Trovatore* (1853), nella prima aria di Leonora, "Tacea la notte placida".

Maurizio Carnelli

the most valued and sought-after singing teacher of his day. Like one of his favourite poets, Gabriele D'Annunzio, Tosti was from the Abruzzo region. He had the knack of giving his songs a certain artistic feel: he was a master in exploiting the voice and was famed for the outstanding lyricism of his songs. His works portray a particular atmosphere and era. That of Italy at the end of the nineteenth century, before the devastation of World War I and the social tensions felt in the twentieth century. His language is simple but passionate. He gave artistic nobility to the simplest of emotions: joy for a new love ("Malìa"), sadness for a love that dies ("L'ultima canzone") and the ecstasy of abandonment ("Ideale").

Giuseppe Verdi (Busseto, 1913 – Milan, 1901) Italy's greatest composer of opera, Verdi wrote a large, interesting body of compositions for voice and piano, mostly during his early career. The style of these art songs is purely melodramatic: conceived as opera arias, some in the form of a duet, with recitative, cavatina and cabaletta, others that of a simple song. This is the case of the ditty "Tu dici che non m'ami", based on a popular poetic form traditionally featuring vivid metaphors of love and satirical subjects; it was published in 1869 with anonymous lyrics. "Ad una stella", on the other hand, is a romanza with more vocal ambitions, written for a full opera voice. The music begins with a gentle tone, emphasizing the evening atmosphere created by the Andrea Maffei's lyrics, before it gradually gets more lively, reaching an expressive dynamic climax in the central part; its piano accompaniment has an interesting timbre. "In solitaria stanza" (1838) to lyrics by Jacopo Vittorelli is very expressive piece, much loved by sopranos. There is a motif in the central section that Verdi used again for Leonora's first aria, "Tacea la notte placida", in *Il trovatore* (1853).

Maurizio Carnelli

Testi • *Lyrics*

Ma rendi pur contento
Versi di | *Lyrics by* Pietro Metastasio
Musica di | *Music by* Vincenzo Bellini

Ma rendi pur contento
della mia bella il core
e ti perdono, amore,
se lieto il mio non è.

Gli affanni suoi pavento
più degli affanni miei,
perché più vivo in lei
di quel ch'io viva in me.

But please do make glad
my beautiful one's heart
and I will forgive you, love,
if mine is not happy.

I fear her anxieties
more than my anxieties,
because I live more through her
than I live for myself.

Vaga luna, che inargenti
Versi di anonimo | *Anonymous verses*
Musica di | *Music by* Vincenzo Bellini

Vaga luna, che inargenti
queste rive e questi fiori
ed ispiri agli elementi
il linguaggio dell'amor;

testimonio or sei tu sola
del mio fervido desir,
ed a lei che m'innamora
conta i palpiti e i sospir.

Dille pur che lontananza
il mio duol non può lenir,
che se nutro una speranza,
ella è sol, sì, nell'avvenir.

Dille pur che giorno e sera
conto l'ore del dolor,
che una speme lusinghiera
mi conforta nell'amor.

Pretty moon, who silvers
these brooks and these flowers
and inspires the elements to
the language of love,

you alone are now witness
to my fervent desire,
and to her with whom I am in love
recount the heartbeats and the sighs.

Tell her also that distance
can not assuage my sorrow,
that if I nourish one hope,
it is only, yes, for the future.

Tell her also that day and night
I count the hours of sorrow,
that a promising hope
comforts me in love.

Non t'amo più!
Versi di | *Lyrics by* Luigi De Giorgi
Musica di | *Music by* Luigi Denza

Di quei belli occhi il vivido
lampo forse a una stella l'*ài* rubato,
forse profuse l'ebano
alle tue ricche chiome il suo color,
sulle tue bianche mani *à* nevicato,
e il tuo profumo te lo *àn* dato i fior.

The vivid flash of those beautiful eyes
you perhaps stole from a star,
perhaps ebony lavished
on your thick locks their colour,
on your hands it did snow,
and the flowers lent you their fragrance.

Perché del sangue i fremiti
Dio non concesse a così elette forme?
Tu non *ài* duol, che t'agiti,
le meste gioie non le intendi tu.
Or che val la bellezza? A un cuor che dorme,
non si perdona, ed io non t'amo più!

why no pulsing blood
did God grant your noble shape?
You feel no sorrow to upset you,
nor can you understand little delights.
What good is beauty? A sleeping heart
is unforgivable, and I don't love you anymore.

O del mio amato ben
Versi e musica di | *Lyrics and music by* Stefano Donaudy

O del mio amato ben perduto incanto!
Lungi è dagli occhi miei
chi m'era gloria e vanto!
Or per le mute stanze
sempre la [lo] cerco e chiamo
con pieno il cor di speranze...
Ma cerco invan, chiamo invan!
E il pianger m'è sì caro,
che di pianto sol nutro il cor.

Oh lost enchantment of my dearly beloved!
Far from my sight is
the one who was for me glory and pride!
Now throughout the silent rooms
always I seek her [him] and call out
with my heart full of hopes...
But I seek in vain, I call out in vain!
And weeping is to me so dear
that with weeping only do I nourish my heart.

Mi sembra, senza lei [lui], triste ogni loco.
Notte mi sembra il giorno;
mi sembra gelo il foco.
Se pur talvolta spero
di darmi ad altra cura,
sol mi tormenta un pensiero:
ma, senza lei [lui], che farò?
Mi par così la vita vana cosa
senza il mio ben.

Without her [him], every place seems sad to me.
The day seems like night to me;
fire seems ice-cold to me.
Even though at times I hope
to devote myself to another concern,
a single thought torments me:
but, without her [him], what will I do?
Life thus seems to me a futile thing
without my beloved.

Vaghissima sembianza
Versi e musica di | *Lyrics and music by* Stefano Donaudy

Vaghissima sembianza
d'antica donna amata,
chi, dunque, v'ha ritratta
con tanta simiglianza
ch'io guardo, e parlo, e credo
d'avervi a me davanti
come ai bei dì d'amor?

Most charming semblance
of my formerly loved woman,
who, then, has portrayed you
with such a likeness
that I gaze, and speak, and believe
to have you before me
as in the beautiful days of love?

La cara rimembranza
che in cor mi s'è destata
si ardente v'ha già fatta
rinascer la speranza,
che un bacio, un voto, un grido
d'amore più non chiedo
che a lei che muta è ognor.

The cherished memory
which in my heart has been awakened
so ardently has already
revived hope there,
so that a kiss, a vow, a cry
of love I no longer ask except of her
who is forever silent.

Amore e morte
Versi di | *Lyrics by* Giovanni Antonio Redaelli
Musica di | *Music by* Gaetano Donizetti

Odi d'un uom che muore,
odi l'estremo suon:
quest'appassito fiore
ti lascio, Elvira, in don.

Quanto prezioso ei sia
tu dei saperlo appien
nel dì che fosti mia
te lo involai dal sen.

Simbolo allor d'affetto,
or pegno di dolor;
torna a posarti in petto
questo appassito fior.

E avrai nel cor scolpito,
se duro il cor non è,
come ti fu rapito,
come ritorna a te.

Hear from a dying man,
hear his last sound;
this wilted flower
I leave you, Elvira, as a gift.

How precious it is
you must fully understand;
on the day you were mine
I stole it from your breast.

Once a symbol of love,
now a pledge of sorrow;
may this wilted flower
rest once more on your heart.

And it will be engraved in your heart,
if that heart is not hard,
how once it was stolen
and how now it returns to you.

Musica proibita
Versi di | *Lyrics by* Flick-Flock
Musica di | *Music by* Stanislao Gastaldon

Ogni sera di sotto al mio balcone
sento cantar una canzon d'amore,
più volte la ripete un bel garzone
e battere mi sento forte il cuore.

Oh, quanto è dolce quella melodia
oh, come è bella, quanto m'è gradita,
ch'io la canti non vuol la mamma mia:
vorrei saper perché me l'ha proibita?

Ella non c'è ed io la vo' cantar
la frase che m'ha fatto palpitare:
vorrei baciare i tuoi capelli neri
le labbra tue e gli occhi tuoi severi,

vorrei morir con te, angel di Dio,
o bella innamorata, tesor mio.
Qui sotto il vidi ieri a passeggiare
e lo sentiva al solito cantar:

vorrei baciare i tuoi capelli neri
le labbra tue e gli occhi tuoi severi,
stringimi, o cara, stringimi al tuo cuore
fammi provar l'ebbrezza dell'amor.

Every night under my balcony,
I hear a love song being sung,
repeated many a time by a fine young man
and I feel my heart beating loud.

Oh how sweet is that melody,
oh how beautiful, how I like it,
but my mother won't let me sing it:
I want to know why she forbids me sing it?

She's not here and I want to sing it,
that phrase that makes me tremble:
I'd like to kiss your ebony locks,
your lips and your stern eyes,

I want to die with you, angel of God,
oh my dearest one, my treasure.
I saw him stroll here below just yesterday
and I heard his usual song:

I'd like to kiss your ebony locks,
your lips and your stern eyes,
hold me tight to your heart, my love,
let me feel the thrill of love.

Mattinata
Versi e musica di | *Lyrics and music by* Ruggero Leoncavallo

L'aurora di bianco vestita	*Dawn, all dressed in white,*
già l'uscio dischiude al gran sol,	*already opens the door to the sun,*
di già con le rosee sue dita	*already with pink fingers*
carezza de' fiori lo stuol!	*caresses the banks of flowers.*
Commosso da un fremito arcano	*Excited by a mysterious thrill*
intorno il creato già par;	*all of God's creation it seems;*
e tu non ti desti, ed invano	*but you don't wake up and in vain*
mi sto qui dolente a cantar...	*I stand here and sing sadly...*
Metti anche tu la veste bianca	*Come on, put your white dress on*
e schiudi l'uscio al tuo cantor!	*and open the door to your serenader!*
Ove non sei la luce manca;	*It's still dark if you're not here,*
ove tu sei nasce l'amor.	*but love is born when you are!*

Serenata
Versi di | *Lyrics by* Olindo Guerrini (Lorenzo Stecchetti)
Musica di | *Music by* Pietro Mascagni

Come col capo sotto l'ala bianca	*As with his head under the white wing*
dormon le palombelle innamorate,	*so sleep the doves in love.*
Così tu adagi la persona stanca	*So do you recline your tired body*
sotto le coltri molli e ricamate.	*under the soft, embroidered blankets.*
La testa bionda sul guancial riposa	*Your blonde head rests on the happy,*
lieta de' sogni suoi color di rosa	*rose-colored pillow of your dreams,*
e tra le larve care al tuo sorriso	*and among the dear shadows on your face*
una ne passa che ti sfiora il viso,	*one of them passes by, touching your face.*
Passa e ti dice che bruciar le vene,	*It passes by and tells you that I feel*
che sanguinare il cor per te mi sento.	*burning in my veins and my heart bleeds for you.*
Passa e ti dice che ti voglio bene,	*It passes by and tells you that I love you,*
che sei la mia dolcezza e il mio tormento,	*that you are my sweetness and my torment,*
Bianca tra un nimbo di capelli biondi	*white among a halo of blonde hair,*
lieta sorridi ai sogni tuoi giocondi.	*you smile pleasantly from your joyful dreams.*
Ah, non destarti, o fior del Paradiso,	*Oh, do not wake up, O flower of paradise,*
ch'io vengo in sogno per baciarti in viso.	*so that I may enter into your dream and kiss you.*

La danza. Tarantella napoletana
Versi di | *Lyrics by* Carlo Pepoli
Musica di | *Music by* Gioachino Rossini

Già la luna è in mezzo al mare,	*The moon is already rising from the sea,*
mamma mia, si salterà;	*mamma mia, what a night it's going to be;*
l'ora è bella per danzare,	*the time's right for dancing,*
chi è in amor non mancherà.	*and no one in love wants to miss out.*
Presto in danza a tondo, a tondo	*Soon we'll be dancing round and round,*
donne mie, venite qua,	*my dear ladies, come here,*
un garzon bello e giocondo	*each of you will have a turn*
a ciascuna toccherà.	*with a smiling handsome guy.*
Finché in ciel brilla una stella	*For as long as a star shines in the heavens*
e la luna splenderà,	*and the moon shines brightly,*
il più bel con la più bella	*the cutest guy will dance the night away*
tutta notte danzerà.	*with the prettiest girl.*
Mamma mia, mamma mia,	*Mamma mia, mamma mia,*
già la luna è in mezzo al mare,	*the moon is already rising from the sea,*

mamma mia, mamma mia,
mamma mia, si salterà.
Frinche, frinche, frinche, frinche,
mamma mia, si salterà.
La la ra la ra la ra la la ra la (ecc.)
Salta, salta, gira, gira,
ogni coppia a cerchio va,
già s'avanza, si ritira
e all'assalto tornerà.
Serra, serra, colla bionda,
colla bruna va qua e là
colla rossa va a seconda,
colla smorta fermo sta.
Viva il ballo a tondo a tondo,
sono un Re, sono un Bascià,
è il più bel piacer del mondo
la più cara voluttà.
Mamma mia, mamma mia,
già la luna è in mezzo al mare,
mamma mia, mamma mia,
mamma mia, si salterà.
Frinche, frinche, frinche, frinche,
mamma mia, si salterà.
La la ra la ra la ra la la ra la (ecc.)

mamma mia, mamma mia,
mamma mia, what a night it's going to be!
Frinche, frinche, frinche, frinche,
mamma mia, what a night it's going to be!
La la ra la ra la ra la la ra la! (etc.)
Hop, hop, twist and turn,
all the couples going round,
back and forth, back and forth
and back to where they began.
Hold the blonde one tightly, tightly,
take the dark one there and back,
with the redhead go like crazy,
with the dull one just go slack.
Hooray for dancing in a round,
I'm a King, I'm a Pasha,
it's the best fun in the world,
and the loveliest joy!
Mamma mia, mamma mia,
the moon is already rising from the sea,
mamma mia, mamma mia,
mamma mia, what a night it's going to be!
Frinche, frinche, frinche, frinche,
mamma mia, what a night it's going to be!
La la ra la ra la ra la la ra la! (etc.)

La promessa
Versi di | *Lyrics by* Pietro Metastasio
Musica di | *Music by* Gioachino Rossini

Ch'io mai vi possa lasciar d'amare,
no, nol credete, pupille care;
nemmen per gioco v'ingannerò.
Voi sole siete le mie faville,
e voi sarete, care pupille,
il mio bel foco sin ch'io vivrò!

That I could ever stop loving you?
No, don't believe it, apple of my eye!
Not even as a joke would I deceive you.
You alone make my eyes flash,
and you, apple of my eye,
will burn in my heart as long as I live!

Aprile
Versi di | *Lyrics by* Rocco Emanuele Pagliara
Musica di | *Music by* Francesco Paolo Tosti

Non senti tu ne l'aria
il profumo che spande Primavera?
non senti tu ne l'anima
il suon di nova voce lusinghiera?

È l'April! È l'Aprile!
È la stagion d'amore!
Deh! vieni, o mia gentil,
Su' prati 'n fiore!

Il piè trarrai fra mammole,
avrai su 'l petto rose e cilestrine,
e le farfalle candide
t'aleggeranno intorno a 'l nero crine.

Do you not feel in the air
the perfume that spring sends forth?
Do you not feel in your soul
the sound of a promising new voice?

It is April! It is April!
It is the season of love!
Oh! come, my fair one,
to the flowering meadow!

Your feet will walk among the violets,
about your breast will be roses and bluebells,
and the white butterflies
will flutter around your dark hairs.

È l'April! È l'Aprile!
È la stagion d'amore!
Deh! vieni, o mia gentil,
su' prati 'n fiore!

It is April! It is April!
It is the season of love!
Oh! come, my fair one,
to the flowering meadow!

Ideale
Versi di | *Lyrics by* Carmelo Errico
Musica di | *Music by* Francesco Paolo Tosti

Io ti seguii come iride di pace
lungo le vie del cielo:
io ti seguii come un'amica face
de la notte nel velo.

I followed you like a rainbow of peace
across the paths of the sky:
I followed you like a friendly torch,
in the veil of night.

E ti sentii ne la luce, ne l'aria,
nel profumo dei fiori;
e fu piena la stanza solitaria
di te, dei tuoi splendori.

I felt you in the light, in the air,
in the scent of the flowers;
the lonely room was full
of you, and your beauty.

In te rapito, al suon de la tua voce,
lungamente sognai;
e de la terra ogni affanno, ogni croce,
in quel giorno scordai.

Entranced by you, by the sound of your voice,
I dreamt at length;
and I forgot all the trouble and anguish of the world,
in that day.

Torna, caro ideal, torna un istante
a sorridermi ancora.
e a me risplenderà, nel tuo sembiante,
una novella aurora.

Come back, dear perfection, come back for a moment
and smile on me again,
and a new dawn will shine on me,
from your face.

L'ultima canzone
Versi di | *Lyrics by* Francesco Cimmino
Musica di | *Music by* Francesco Paolo Tosti

M'han detto che domani,
Nina, vi fate sposa,
ed io vi canto ancor la serenata!
Là, nei deserti piani,
là, ne la valle ombrosa,
oh quante volte a voi l'ho ricantata!

They've told me that tomorrow,
Nina, you're to be wed,
and yet I still sing my serenade to you!
There, on the empty plains,
there, in the shady valley,
how often I've sung it to you!

"Foglia di rosa,
o fiore d'amaranto,
se ti fai sposa,
io ti sto sempre accanto,
foglia di rosa."

"Rose-petal,
o amaranth flower,
even though you marry
I'll be with you still,
rose-petal."

Domani avrete intorno
feste, sorrisi e fiori,
né penserete ai nostri vecchi amori.
Ma sempre, notte e giorno,
pena di passïone
verrà gemendo a voi la mia canzone:

Tomorrow you'll be surrounded
by celebration, smiles and flowers,
you won't give a thought to our old love.
But night and day, for ever
filled with passion,
lamenting, my song will come to you.

"Foglia di menta,
o fiore di granato,
Nina, rammenta
i baci che t'ho dato!
Foglia di menta!"

"Leaf of mint,
flower of pomegranate,
Nina, remember
the kisses I gave you!
Leaf of mint!"

Ad una stella
Versi di | *Lyrics by* Andrea Maffei
Musica di | *Music by* Giuseppe Verdi

Bell'astro della terra,
luce amorosa e bella,
come desia quest'anima
oppressa e prigioniera
le sue catene infrangere,
libera a te volar!
Gl'ignoti abitatori
che mi nascondi, o stella,
cogl'angeli s'abbracciano
puri fraterni amori,
fan d'armonie cogl'angeli
la spera tua sonar.
Le colpe e i nostri affanni
vi sono a lor segreti,
inavvertiti e placidi
scorrono i giorni e gli anni,
né mai pensier li novera,
né li richiama in duol.
Bell'astro della sera,
gemma che il cielo allieti,
come alzerà quest'anima
oppressa e prigioniera
dal suo terreno carcere
al tuo bel raggio il vol!

Beautiful star of the earth,
loving, lovely light,
how this soul yearns,
captive and oppressed,
to shatter its chains,
free to fly to you!
The mysterious inhabitants
that you hide, oh star,
embrace the angels
in pure fraternal love;
their harmony with the angels causes
your hope to resound.
Our guilt and trouble
are unknown to them,
docile and mild;
the days and years flow on
with never a care among them,
never a hint of pain.
Beautiful star of the evening,
delightful gem of the heavens,
how high this soul,
captive and oppressed,
from its earthly prison
would soar to your lovely glow!

Luigi Denza

Non t'amo più!

Versi di – *Lyrics by* **Luigi De Giorgi**

Di quei bel - li oc - chi il vi - vi - do lam - po for - se a u - na stel - la l'hai ru -

-ba - to, for - se pro - fu - se l'e - ba - no al - le tue ric - che chio - me il suo co -

-lor, sul-le tue bian-che ma-ni ha ne-vi-ca-to, e il tuo pro-fu-mo te lo han da-to i

fior. Per-ché___ del san-gue i fre-mi-ti Dio non con-ces-se a co-sì e-let-te

for-me? Tu___ non hai duol, che t'a-gi-ti, le me-ste gio-ie non le in-ten-di

tu. Or che val la bel-lez-za? A un cuor che

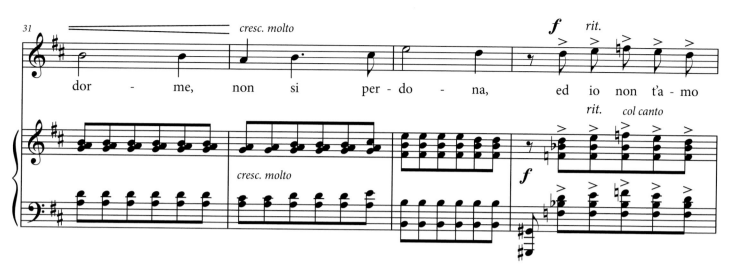

dor - me, non si per - do - na, ed io non t'a - mo

più, _____ ed io non t'a - mo più! _____ Non

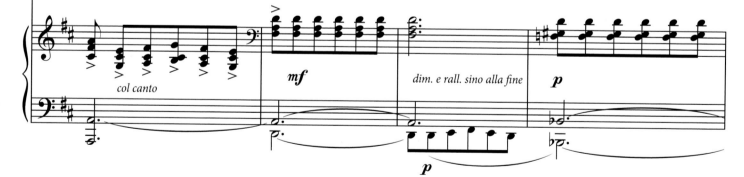

t'a - mo più!

Vincenzo Bellini

Ma rendi pur contento

Versi di – *Lyrics by* **Pietro Metastasio**

Ma ren - di pur con - ten - to del - la mia bel - la il co - re, e ti per - do - no, a - mo - re, se lie - to il mi - o, il mi - o non è. Gli af - fan - ni suoi pa - ven - to più de - gli af - fan - ni

mie - i, per - ché_____ più vi - vo in le - i di quel ch'io

vi - vo, io vi - vo in me,_____ di quel ch'io vi - vo, io_____

vi - vo, io vi - vo in me,_____ di quel ch'io vi - - vo, ch'io

vi - vo, ch'io vi - vo in me.

pp   ff   pp

Vincenzo Bellini

Vaga luna, che inargenti

Versi di anonimo – *Anonymous verses*

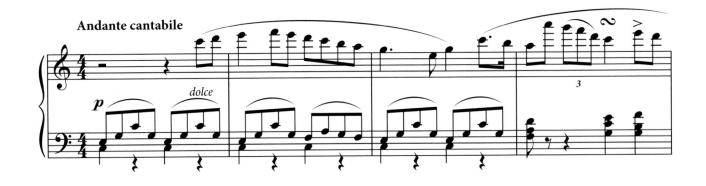

Va - ga lu - na, che i - nar - gen - ti que - ste ri - ve e que - sti

fio - ri ed i - spi - ri, ed i - spi - ri a - gli e - le - men - ti il lin - guag - gio, il lin - guag - gio del - l'a -

-mor, te-sti-mo-nio or se-i tu so - la del mio fer - vi-do de-

- sir, ed a lei, ed a lei che m'in-na-mo - ra con-ta i pal-pi-ti, i pal-pi-ti e i so-

-spir, ed a lei che m'in-na-mo - ra con-ta i pal-pi-ti e i so-spir, ed a lei che m'in-na-

-mo-ra con-ta i pal-pi-ti e i so-spir, e i so - spir, e i so - spir.

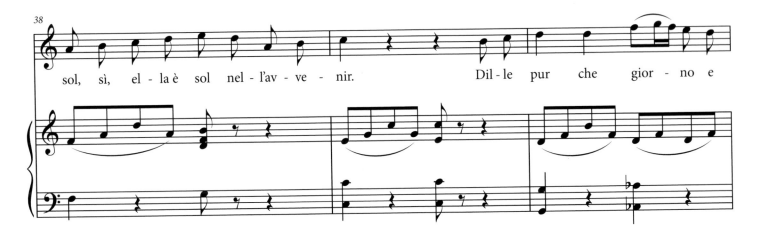

se - ra con-to l'ò - re del do - lor, che u-na spe - me, u-na spe - me lu - sin -

-ghie - ra mi con - for - ta, mi con - for - ta nel - l'a - mor, che u - na spe - me lu - sin -

-ghie-ra mi con - for - ta nel - l'a - mor, che u - na spe - me lu - sin - ghie - ra mi con - for - ta nel - l'a -

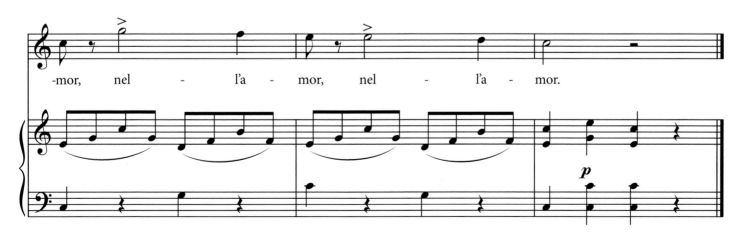

-mor, nel - l'a - mor, nel - l'a - mor.

Stefano Donaudy

O del mio amato ben

Versi di – *Lyrics by* **Stefano Donaudy**

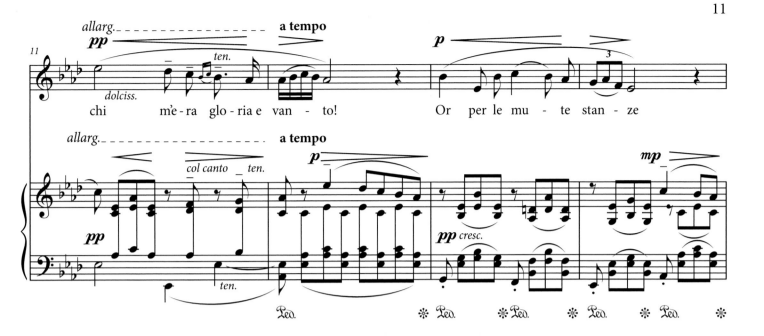

chi m'e - ra glo - ria e van - to! Or per le mu - te stan - ze

sem - pre la cer - co e chia - mo con pie-no il cor di spe -

- ran - ze... Ma cer-co in-van, chia-mo in-van! E il pian-ger m'è sì

Se pur tal-vol-ta spe-ro di dar-mi ad al - tra cu-ra,

sol___ mi tor-men-ta un pen-sie - ro: ma, sen-za lei, che fa-rò?

Mi par co-sì la vi-ta va-na co-sa sen-za il mio ben.

Stefano Donaudy

Vaghissima sembianza

Versi di – *Lyrics by* **Stefano Donaudy**

142026

-trat - ta con tan - ta si - mi - glian - za ch'io

guar - do, e par - lo, e cre - do d'a - ver - vi a me da - van - ti co - me ai bei dì d'a - mor?

La ca - ra ri - mem - bran - za che in cor mi s'è de -

Ruggero Leoncavallo

Mattinata

Versi di – *Lyrics by* **Ruggero Leoncavallo**

L'au - ro - ra di bian - co ve - sti - ta_____ già l'u - scio di schiu - de al gran

142026

sol,_____ di già con le ro - se e sue di - ta_____ ca -

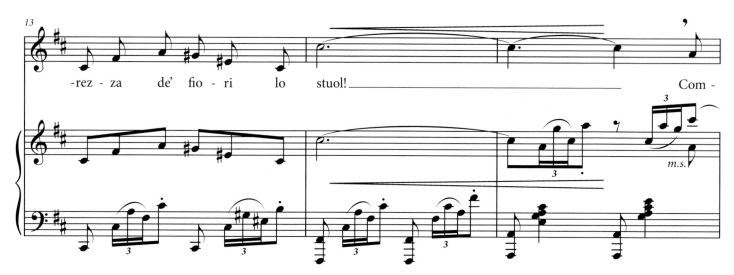

-rez - za de' fio - ri lo stuol!_____ Com -

-mos - so da un fre - mi - to ar - ca - no_____ in - tor - no il cre - a - to già

par;_____ e tu non ti de - sti, ed in - va - no mi

sto qui do-len-te a can-tar... Met-ti an-che

tu la ve-ste bian-ca e schiu-di l'u - scio al tuo can-

- tor! O - ve non se - i la lu - ce

man - ca; o - ve tu se - i na-sce l'a - mor.____

Gaetano Donizetti

Amore e morte

Versi di – *Lyrics by* **Giovanni Antonio Redaelli**

la - scio El - vi - ra in don.

Quan - to pre-zio - so ei si - a.

Tu del sa - per - lo ap - pien nel

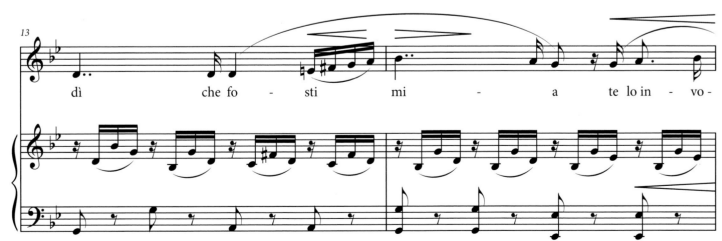

dì che fo - sti mi - a te lo in - vo-

-lai, te lo in - vo - lai dal sen.

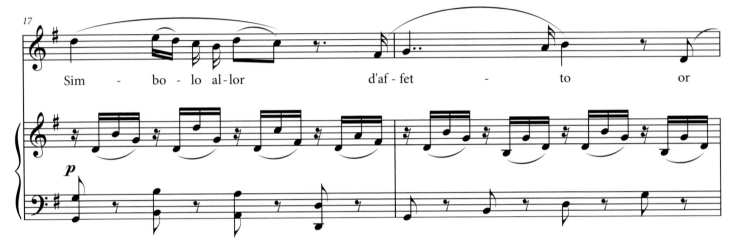

Sim - bo - lo al-lor d'af - fet - to or

pe - gno di do - lor

tor - na a po - sar - ti in pet - - to

que-sto ap - pas-si - to   fior   e a - vrai   nel cor   scol -

- pi - to,   se   du - ro   il   cor   non

è   co - me   ti   fu   ra -

- pi - to   co - me   ri-tor - na   a   te.

Stanislao Gastaldon

Musica proibita

Versi di – *Lyrics by* **Flick-Flock**

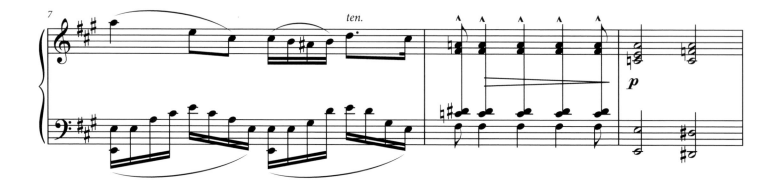

CANTO

O - gni se - ra di sot - to al mio bal - co - ne sen - to can -

-tar u - na can - zon d'a - mo - re, più

vol - te la ri - pe - te un bel gar - zo - ne e bat - te - re mi

sen - to for - te il cuo - re. E bat - te - re mi

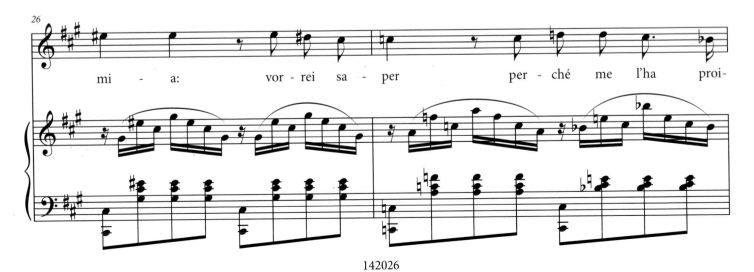

sen - to for - te il cuor. Oh, quan - to è dol - ce quel - la me - lo-

-di - a oh, co - me è bel - la, quan - to m'è gra-

-di - ta ch'i - o la can - ti non vuol la mam - ma

mi - a: vor - rei sa - per per - ché me l'ha proi-

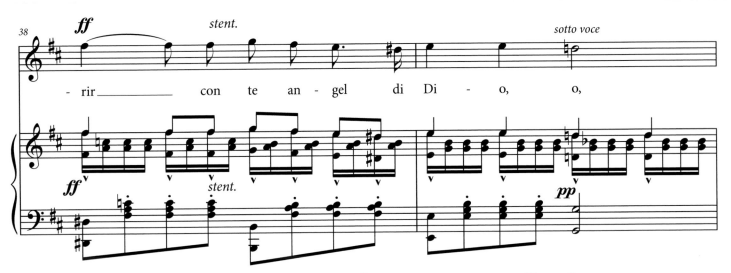

-rir_____ con te an - gel di Di - o, o,

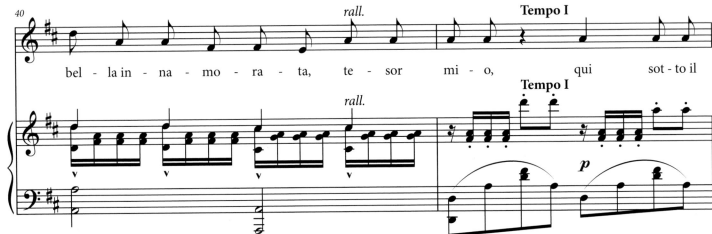

bel - la in - na - mo - ra - ta, te - sor mi - o, qui sot - to il

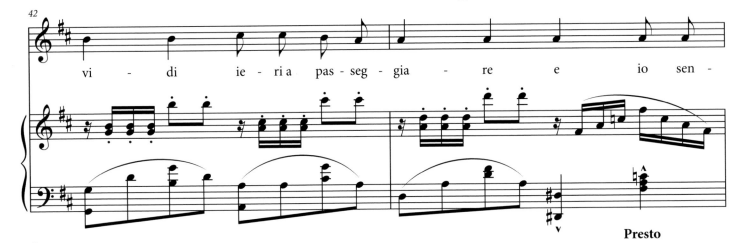

vi - di ie - ri a pas - seg - gia - re e io sen -

-ti - va al so - li - to can - tar._____ Vor - rei ba -

Pietro Mascagni

Serenata

Versi di – *Lyrics by* **Lorenzo Stecchetti**

a Sua Altezza Maria Duchessa di Mecklenburg Schwerin

34

so - gni tuoi gio - con - di.

Ah, non de - star - ti, o fior del Pa - ra - di - so,

ch'io ven - go in so - gno per ba - ciar - ti in vi - so!

142026

Gioachino Rossini

La danza

Versi di – *Lyrics by* Carlo Pepoli

Allegro con brio (♩. = 152)

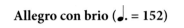

lu - na è in mez - zo al ma - re, mam - ma mia, si sal - te - rà; l'o - ra è bel - la per dan-

-za - re, chi è in a - mor non man - che - rà: già la lu - na è in mez - zo al ma - re, mam - ma

mia, si sal - te - rà: l'o - ra è bel - la per dan - za - re, chi è in a - mor non man - che-

-rà.   Già la lu - na è in mez - zo al ma -

-re, mam - ma mia, si sal - te - rà. Pre - sto in dan - za a ton - do a

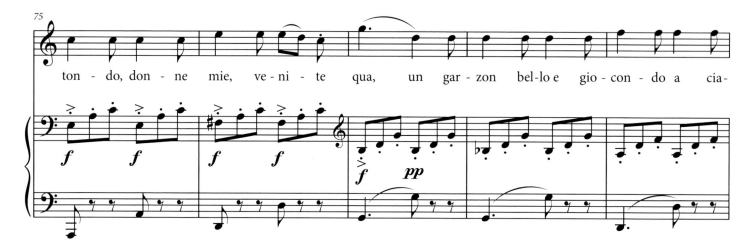

ton - do, don - ne mie, ve - ni - te qua, un gar - zon bel-lo e gio - con - do a cia-

- scu - na toc - che - rà. Fin - chè in ciel bril-la u - na stel - la, e la lu - na splen - de -

-rà, il più bel con la più bel - la tut - ta not - te dan - ze - rà - Mam - ma

mia, mam - ma mia, già la lu - na è in mez - zo al ma - re, mam - ma mia, mam - ma

mia, mam - ma mia, si sal - te - rà, frin - che, frin - che, frin - che, frin - che, frin - che,

frin - che, mam - ma mia_____ si sal - te - rà, frin - che,

frin - che, frin - che, frin - che, frin - che, frin - che, mam - ma mia_____ si sal - te-

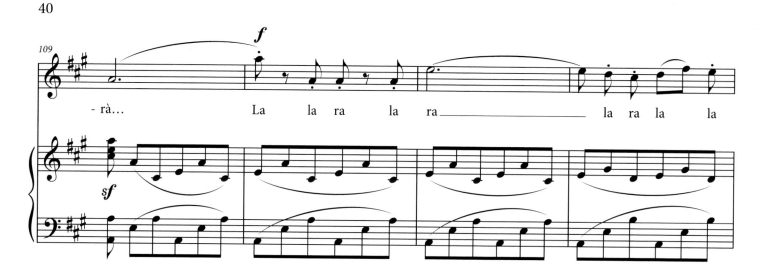

Sal - ta, sal - ta, gi - ra,

gi - ra, o - gni cop - pia a cer - chio va, già s'a - van - za, si ri - ti - ra, e al - l'as-

-sal - to tor - ne - rà: sal - ta, sal - ta, gi - ra, gi - ra, o - gni cop - pia a cer - chio

va, già s'a-van -za, si ri -ti - ra, e al -l'as -sal -to tor -ne -rà:

già s'a -van - za, si ri -ti - - - -

-ra, e al' -l'as -sal -to tor -ne -rà. Ser - ra, ser - ra col -la bion -da, col - la

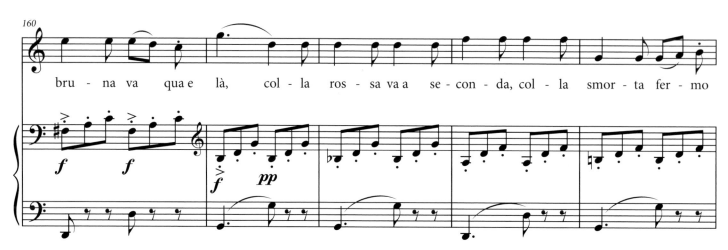

bru - na va qua e là, col -la ros -sa va a se -con -da, col - la smor -ta fer - mo

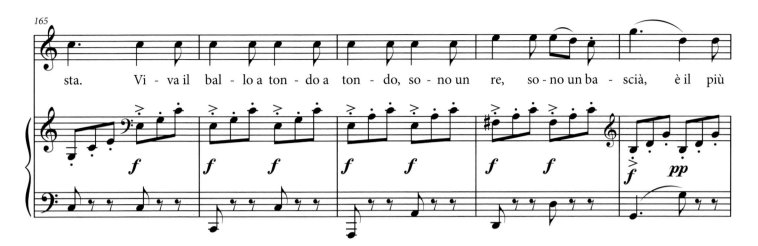

sta. Vi - va il bal - lo a ton - do a ton - do, so - no un re, so - no un ba - scià, è il più

bel pia - cer del mon - do, la più ca - ra vo - lut - tà. Mam - ma mia, mam - ma

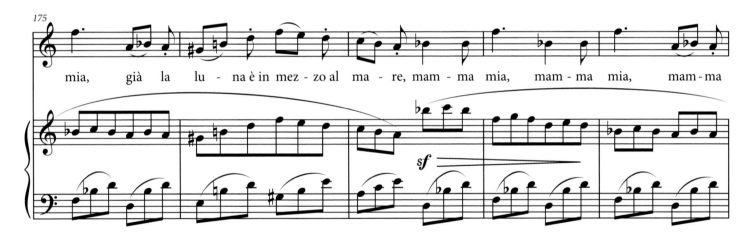

mia, già la lu - na è in mez - zo al ma - re, mam - ma mia, mam - ma mia, mam - ma

mia, si sal - te - rà; frin - che, frin - che, frin - che, frin - che, frin - che, frin - che, mam - ma

44

mia,_____ si sal - te - rà, frin - che, frin - che, frin - che,

frin - che, frin - che, frin - che, mam - ma mia,_____ si sal - te -

- rà... la la ra la ra_____ la ra la la

ra la la la ra la ra_____ la ra la la

ra   la   le   la ra la ra_____   la ra la   la

ra   la   la la ra   la ra_____   la la la la ra   la.

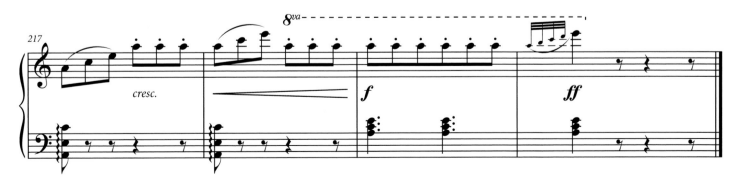

Gioachino Rossini

La promessa

Versi di – *Lyrics by* **Pietro Metastasio**

nem - men per gio - co,____ nem - men per gio - co,____ nem - men per

gio - co v'in - gan - ne - rò, no, no,

no, no, nem - men per gio - co____ v'in - gan - ne -

- rò.

Voi so - le sie - te le mie fa - vil - le,

e voi sa - re - te, ca - re pu - pil - le, il mio bel

fo - co sin ch'io vi - vrò, il mio bel fo - co

sin____ ch'io vi - vrò, sin____ ch'io vi - vrò,

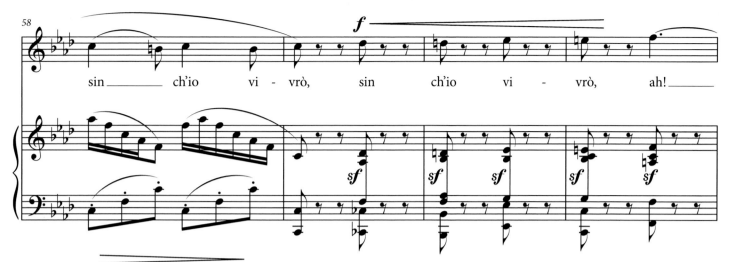

sin_____ ch'io vi - vrò, sin ch'io vi - vrò, ah!_____

Ch'io mai vi pos - sa

la - sciar d'a - ma - re, no, nol cre - de - te, pu - pil - le

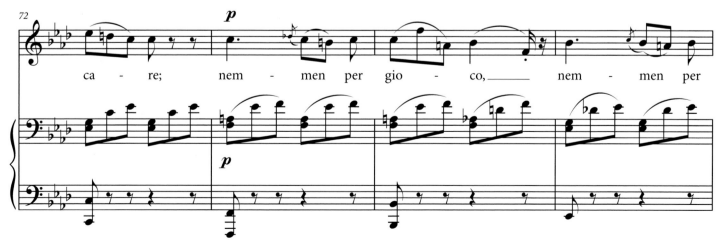

ca - re; nem - men per gio - co,_____ nem - men per

gio - co,_____ nem - men per gio - co v'in - gan - ne -

- rò,   no,   no,

no,   no,   nem - men per gio - co___ v'in - gan - ne -

- rò, nem - men per gio - co v'in-gan-ne - rò, no,   no, no,   no, v'in - gan - ne -

-rò, nem - men per gio - co v'in-gan-ne - rò, no, no, no, no, v'in - gan-ne -

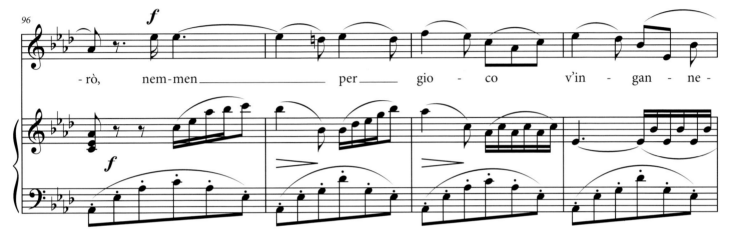

-rò, nem-men _____ per _____ gio - co v'in - gan - ne -

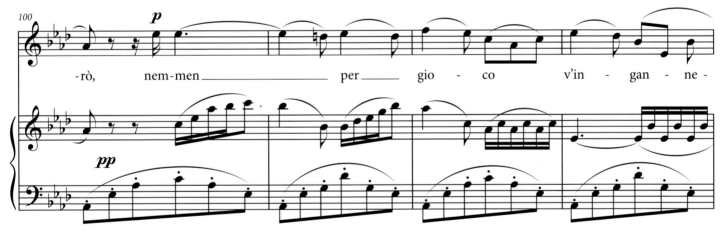

-rò, nem-men _____ per _____ gio - co v'in - gan - ne -

- rò. _____

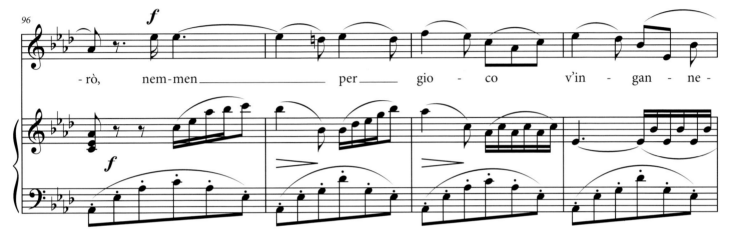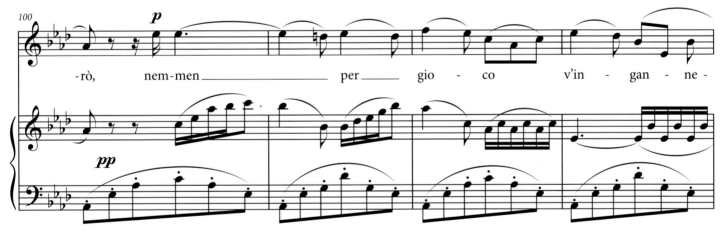

142026

Francesco Paolo Tosti

Aprile

Versi di – *Lyrics by* **Rocco Emanuele Pagliara**

CANTO

Non sen - ti tu ne l'a - ria il pro-fu-mo che

span - de Pri-ma-ve - ra? Non sen - ti tu ne l'a - ni - ma il

-pril! _____ È l'A - pril! _____ È la sta-gion d'a - mo - re!

Deh! Vie - ni, o mia gen - til su' pra - ti'n fio - - -

- re! _____ È l'A - pril! _____ È l'A - pril! È _____ l'A -

-pril!

Tempo I

Il piè trar-rai fra mam - mo - le,

a - vrai su'l pet-to ro - se e ci-le-stri - ne, e le far-fal-le

poco rit.

can - di - de t'a-leg-ge-ran - no in - tor - no al ne-ro cri - ne.

col canto

53 **a tempo**

a tempo

Il piè trar-rai fra mam - - mo - le,

56

a - vrai su'l pet-to ro - se e ci-le-stri - ne, e le far-fal-le

59

can - di - de t'a-leg-ge-ran - no in - tor - no al ne-ro cri - ne.

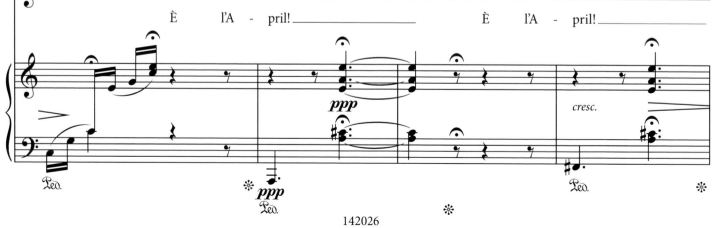

62 **ppp** *cresc.*

È l'A - pril! _____ È l'A - pril! _____

ppp

cresc.

ppp

È la sta-gion d'a-mo - - re! Deh! Vie - ni, o mia gen-

-til su' pra - ti'n fio - - - re! _____ È l'A-

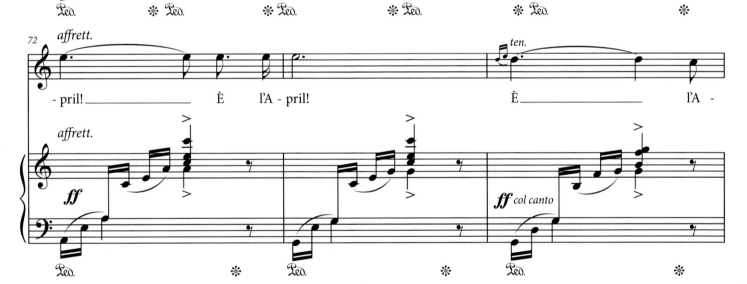

- pril! _____ È l'A - pril! È _____ l'A -

- pril! _____

Francesco Paolo Tosti

Ideale

Versi di – *Lyrics by* **Carmelo Errico**

CANTO

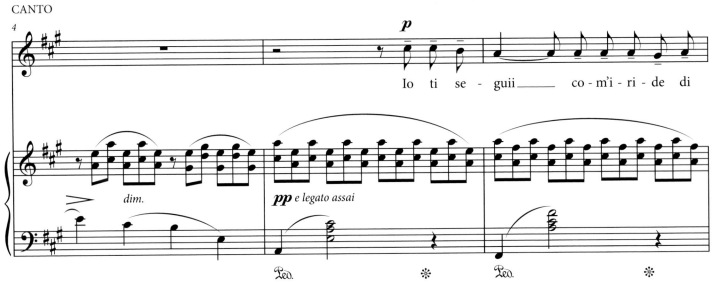

Io ti se - guii____ co - m'i - ri - de di

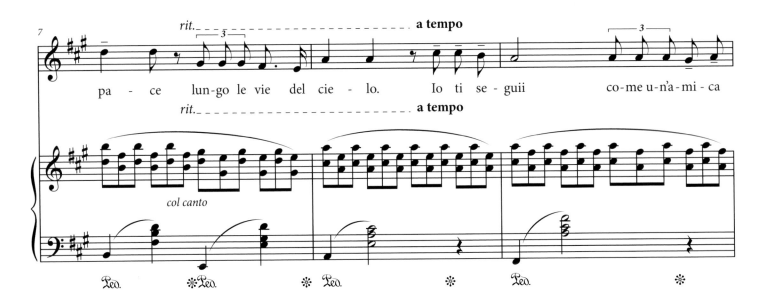

pa - ce lun-go le vie del cie - lo. Io ti se-guii co-me u-n'a-mi-ca

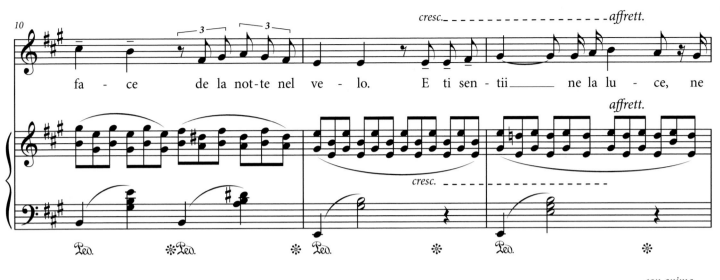

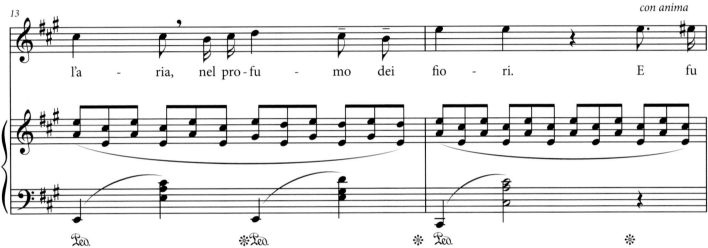

-co - ra, e a me ri-splen-de-rà nel tuo sem-bian - te u - na no-vel-l'au -

-ro - ra, u - na no-vel - la au-ro - ra.

Tor - na, ca - ro i - de - al,

tor - na, tor - na.

Francesco Paolo Tosti

L'ultima canzone

Versi di – *Lyrics by* **Francesco Cimmino**

alla cara amica sig.ra Rina Giacchetti

«Fo - glia di ro - sa, o fio - re d'a - ma - ran - to,_____ se ti fai

spo - sa, io ti sto sem-pre ac - can - to,_____

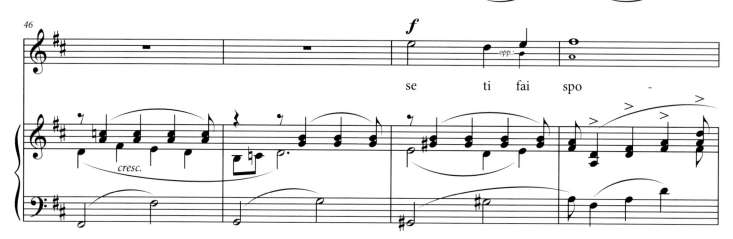

se ti fai spo -

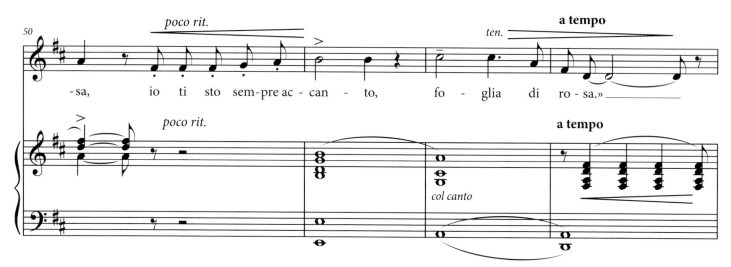

-sa, io ti sto sem-pre ac - can - to, fo - glia di ro - sa.»_____

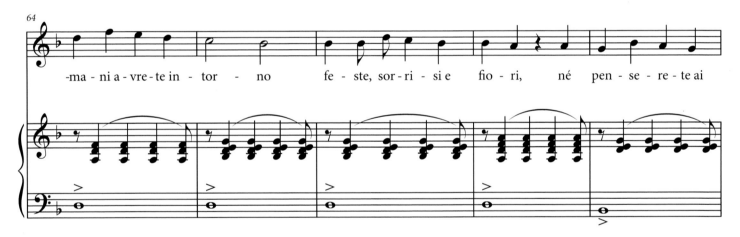

-ma - ni a - vre - te in - tor - no fe - ste, sor - ri - si e fio - ri, né pen - se - re - te ai

no - stri vec - chi a - mo - ri.___ Ma sem - pre, not - te e

gior - no, pie - na di pas - si - o - ne, ver - rà ge - men-do a voi la mia can-

-zo - ne,__ ver - rà ge - men - do__ la mia can-

-zo - ne:__ «Fo - glia di

a tempo   poco rit.   poco rit.

men - ta, o fio - re di gra - na - to,__ Ni - na, ram - men - ta i

a tempo

ba - ci che t'ho da - to! _____

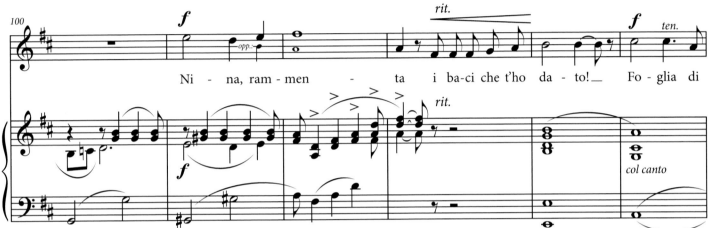

Ni - na, ram - men - ta i ba-ci che t'ho da - to! _ Fo - glia di

men-ta!» _____ Ah!

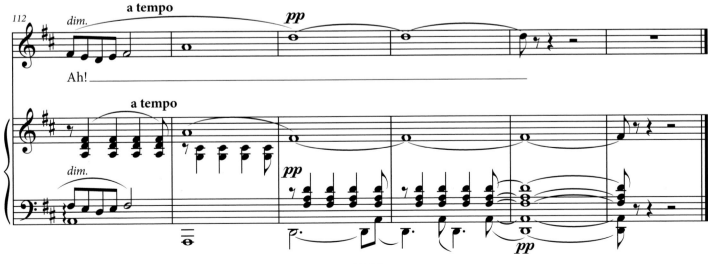

Ah! _____

Giuseppe Verdi

Ad una stella

Versi di – *Lyrics by* Andrea Maffei

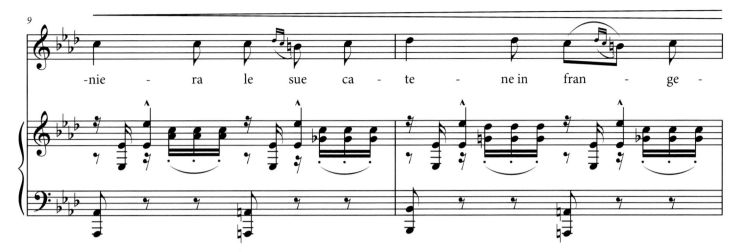

-nie - ra le sue ca - te - ne in fran - ge -

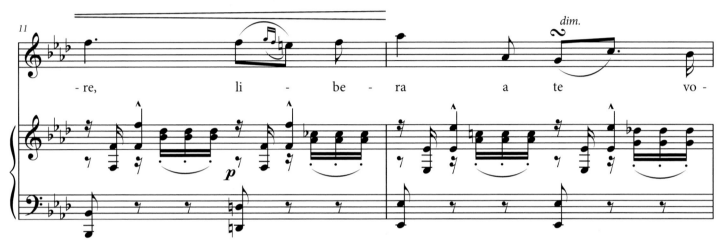

-re, li - be - ra a te vo -

-lar! Gl'i - gno - ti a - bi - ta -

-to - ri che mi na - scon - di, o

stel - la, co - gl'an - ge - li s'ab - brac - cia - no

pu - ri fra - ter - ni a - mo - ri,

fan d'ar - mo - ni - e co - gl'an - ge - li la

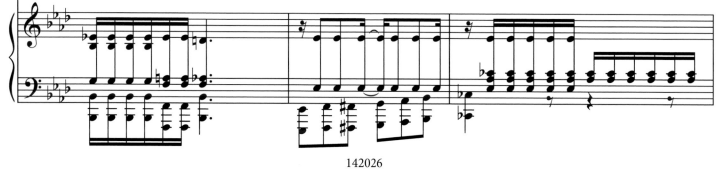

spe - ra tu - a so - nar. Le col - pe e i no - stri af-

-fan - ni vi so - no a lor se - gre - ti,

i - nav - ver - ti - ti e pla - ci - di scor - ro - no i gior - ni e

gli an - ni, nè mai pen-sier li no - ve - ra, nè li ri - chia - ma in

pp

duol. Bel - l'a - stro del - la

se - - - ra, gem - ma che il cie - lo al - lie - ti,

co - me al - ze - rà que - st'a - ni - ma op - pres - sa e pri - gio -

-nie - ra dal suo ter - re - no car - ce - re Al

tuo bel rag - gio il vol!